어서 와!
수필동아리는
처음이지?

어서 와!
수필동아리는
처음이지?

박근애 지음

"당신은 할 수 있거나 꿈꿀 수 있는
것이 무엇이든, 시작하라. 대담함에는
재능과 힘과 마법이 있다."
– 볼프강 폰 괴테

수필동아리를 간 첫날

시민대학 글쓰기 강의 마지막 시간이었다. 끝까지 남은 3명에게 강사가 수필동아리를 권했다.

"동아리는 작년에 시작되었어요. 제 수업을 듣고 글쓰기를 더하고 싶은 여러 사람이 모였어요. 다양한 연령대로 15명 정도 돼요. 모임은 2주마다 근처 작은 도서관에서 해요. 매번 글을 쓰지 않아도 괜찮아요. 다른 사람 글을 듣기만 해도 좋아요. 한번 해보시겠어요?"

무턱대고 한다고 했다. 근 두 달간 매주 글쓰기를 한 덕에 자신감이 생긴 까닭이었다.

그날 늦은 오후 수필동아리 카톡방에 초대받았다. 몇 명이 환영 인사를 했다. 나도 반갑다는 인사 후, 열심히 참여 하겠다고 다짐했다.

첫 모임 날짜는 일주일 뒤 월요일이었다. 글 소재는 '나는○○이다'였다. 내가 누군지를 소개하는 글을 쓰면 좋겠다 싶었다.

'나는 뭘까? 나는 엄마다. 나는 여자다. 나는 빨강이다. 나는 사탕이다.'

며칠 동안 '나는○○이다'에 다양한 단어를 넣어 보며 어떤 글을 써야 할지 생각했다.

어느 날, 딸이 체리를 먹다 나온 씨앗을 심겠다고 했다. 자라지 않는다고 말리려다 관뒀다. 어차피 딸은 뭐든 금방 시들해지므로. 그때였다.

'그래. 나는 씨앗이다! 내가 요즘 하고 있는 많은 일을 씨앗이 자라는 과정처럼 쓰면 되겠네.'

모임 3일 전, 완성된 글을 올렸다. 기다렸다. 동아리 첫날을.

드디어 첫날, 지하에 있는 작은 도서관을 내려가는 좁은 계단이 일렁거렸다. 문을 열고 들어가 인사했다. 익숙한 두 얼굴을 보고 미소 지어 인사했다. 처음 본 사람은 얼추 5~7명 되는 듯했다.

오전 10시가 되자 강사는 처음 온 우리 셋에게 반갑다며 간단한 인사를 했다. 그러곤 바로 시작했다.

제일 먼저 제출한 내가 첫 순서로 글을 읽었다. 성우처럼 읽고 싶었다. 하지만 목소리가 절로 가늘게 떨렸다. 호흡이 가빠졌다. 숨이 막혔다. 잠시 멈췄다. 크게 숨을 몰아쉬고 다시 읽었다. 그렇게 불안한 호흡으로 끝까지 읽었다.

갑자기 반대편 책상 중간에서 날카로운 목소리가 들렸다.
"'꼬츨'하고 발음해야지."
얼굴이 화끈거렸다. 강사도 한마디 거들었다.
"맞아요. '꼬츨'해야죠."
어색함을 무마하기 위해 얼른 "네"라고 답했다. 거짓 웃음과 함께.

그 뒤, 글 구성과 고칠 부분을 강사가 말했다. 아

무 소리도 들리지 않았다. 어서 내 차례가 끝났으면 했다. 두 시간 내내 마음이 불편했다. 끝인사를 나누자마자 도망치듯 문을 열고 나왔다.

내가 왜 수필동아리에 들어갔을까?

차례

수필동아리를 간 첫날

글쓰기를 방해하는 생각

글쓰기를 방해하는 생각

∞ 난 글재주가 없어

초등학교 6학년 봄, 교내 백일장이 있었다. 난 '하늘'을 소재로 동시를 썼다. 완성된 내 글을 보고 짝이 말했다.

"잘 썼다! 근데 내가 살짝 고쳐줄까? 내가 너 상 받게 해줄게."

얼마 뒤, 덜컥 동시 부문 장원을 했다. 생애 첫 글쓰기 상이었다.

운동장 조회 시간에 단상에 서서 상을 받았다. 상장을 들고 자리로 돌아온 내게 짝은 다 자기 덕분이라고 했다. 고개를 끄덕였다.

TV 프로그램 중에 '티처스'를 즐겨봤다. 공부를 어려워하는 중고등학생에게 일타강사가 바른 공부 방법을 알려주어 성적을 올려줬다. 확실히 공부는 '재능'이었다. 하지만 재능보다 꾸준한 노력이 더 중요하다고 강사는 강조했다. 재능만 믿고, 노력하지 않는 자는 성장할 수 없다며. 자신을 믿고 꾸준히 노력하면 성적은 반드시 오른다고 했다.

글쓰기도 공부와 비슷한 면이 있다. 진득하게 꾸준히 하기 어렵다. 수필동아리를 간 큰 이유는 억지로라도 부단하게 글을 쓰기 위함이었다. 하지만, 글을 제출해야 할 날짜가 다가올수록 '난 글재주가 없어'라는 핑계 뒤로 숨어 글쓰기를 그만두고 싶었다.

그런데 천만다행히도 난 글쓰기가 재미있다. 글재주가 있건 없건 상관없이 그냥 계속 글쓰기를 하고 싶다.

스톡홀름대학교 앤더스 에릭슨 박사는 "한 분야에서 지속해서 집중하여 최소 10년 정도 훈련을 하면 그 분야에 전문가가 될 수 있다."라고 했다. 글쓰기 책에선 글쓰기는 꾸준히 하면 실력이 확실히 늘어나는 영역이라고 했다.

'나도 작가 될 수 있다'라는 마음으로 꾸준히 글쓰기를 해보자. 진짜 글재주가 늘어나는지. 10년 후, 내 이름을 건 '북토크'를 하고 있을지도 모르잖는가?'

∞ 바빠서 글 쓸 시간이 없어

동아리 첫날, 발음에 대한 지적을 들은 후 마음이 뒤숭숭했다. 며칠 뒤, 동아리 회장이 다음 모임에 참석할 분들 카톡에 남겨달라고 했다.

가장 만만한 핑계를 댔다.

'그날 다른 바쁜 일이 있어서 참석할 수 없습니다.'

참 옹졸했다.

꾸준한 글쓰기를 하겠다는 다짐도 부끄럼 앞에서 좌절했다. 지인에게 첫날 있었던 일을 얘기하니,

"받아쳤어야지. '제 발음이 그렇게 이상했어요? 그럼, 본인이 어떻게 하는지 한번 해보세요.'라고 하지 그랬어."

내 편을 들어 주며 흥분해 주니, 속상했던 마음이 조금 풀리는 듯했다.

'역시 동아리는 관둬야겠어. 난 애가 셋이야. 바빠서 글 쓸 시간이 없어. 편히 앉아 글 쓸 시간이

어디 있어?'

동아리 모임은 한 달이 넘도록 가지 않았다.

그러던 어느 날. 오늘의 아침 명언 메시지를 봤다.

'남들이 당신을 어떻게 생각할까? 너무 걱정하지 말라. 그들은 그렇게 당신에 대해 많이 생각하지 않는다.' (엘리노어 루즈벨트)

'사실 아무 일도 아니었잖아. 그 사람이 내게 아무 감정 없이 한 말인데. 그 사람은 기억도 하지 않을 일을 여태 가지고 있었네. 어리석게 그 일로 이렇게 지내다니. 다시 시작하자.'

내 마음은 연약해 사소한 일에도 잘 움츠렸다. 스스로 토닥이고 위로할 시간을 가져야 다시 시작할 수 있는 마음을 먹었다. 용기 내어 동아리 다음 모임엔 참석하겠다고 했다.

다음날, 아이들을 서둘러 학교에 보냈다. 집안일도 미루고 컴퓨터 책상 의자에 앉았다. 점심도 거른 채 5시간 동안 글을 썼다.

글이 마음에 들 때까지 몇 번이고 고쳤다. 쓴 글을 인쇄했다. 막내딸 앞에서 읽기 연습을 했다. 최대한 또박또박 읽었다.

∞ 내 글이 재미가 없나?

동아리 회원 몇몇이 오랜만이라며 반가워했다. 어색했다. 시작 전 커피를 타기 위해 정수기 앞으로 갔다. 첫 시간에 내 발음을 지적했던 회원이 서 있었다. 먼저 다정히 인사했다. 생각보다 더 아무렇지 않았다.

한 시간 정도 서로 글을 읽고 이야기를 나누었다. 그런데 다음 글을 읽기도 전에 강사가 칭찬 일색인 회원이 있었다.
"글 너무 잘 읽었어요. 재미있던데요. 제가 고칠 게 전혀 없던데요. 대단하세요."
'도대체 얼마나 재미있길래?'
못난 마음이 시기를 했다.

그 회원은 '귀'를 소재로 자신 이야기를 마치 소설처럼 썼다. 글이 맛깔났다. 글 읽는 목소리도 차분하고, 발음도 명확해 듣기 편했다. 그 회원이 글을 다 읽은 후, 큰 박수와 함께 저마다 재미있다고 칭찬했다.

하필, 다음이 내 차례였다. 연습한 대로 천천히 읽어 갔다. 그런데 다 읽고 나서 별 반응이 없었다. 개미가 기어가는 소리가 들릴 만큼 고요했다.
'내 글이 재미가 없나?'
강사가 묘사가 과장되고 길게 표현된 부분이 있다고 했다. 짧고 단순하게 표현해 보라는 피드백을 받았다. 잘 쓰고 싶은 과욕이 글을 망쳤다. 마음이 오그라들었다.

집에 와 잠들기 전, 글쓰기에 대한 의지를 다졌다.
'좌절하지 말자. 담백한 짧은 문장을 써보자. 나도 딴생각하며 다른 사람 글에 대해 별 반응하지 않을 때도 있잖는가. 꼭 다른 사람이 재미있어하는 글을 쓸 필요는 없다. 진솔한 내 이야기를 묵묵히 쓰자. 다른 사람이 비웃는 글이라도'

∞ 완벽한 글을 쓰고 싶어

한 문장을 썼다 지우기를 반복했다. 동아리에 들어온 지 넉 달 째였다. 아직도 다른 사람에게 크게 인정받는 완벽한 글을 한 편도 쓰지 못했다.
"이런 문장으로 시작하면 너무 진부하지 않을까?"
"이 표현은 너무 뻔하지 않나?"
"다른 사람이 어떻게 생각할까?"
끊임없이 떠오르는 많은 의문이 타자 위 손가락을 움직이지 못하게 만들었다. 완벽한 문장, 완벽한 구성, 완벽한 글을 쓰고 싶은 욕심이 날 옭아매고 있었다.

다른 회원이 글을 읽을 때마다 느끼는 부러움과 열등감은 글쓰기를 더욱 망설이게 했다. 그렇게 난 다른 사람에게 인정을 받기 위해 완벽을 쫓고 있었다.
칭찬받고 싶은 마음은 글을 쓰는 동기가 되는 동시에 부담됐다. 로또에 당첨되듯이 운 좋게 한 번

만에 글재주가 확 늘면 좋겠다.

동아리 여러 회원과 강사가 그동안 해주었던 말을 떠올렸다. 내 글은 참 솔직하게 썼다는 얘기를 자주 들었다.

글쓰기는 내 생각을 있는 그대로 표현하는 과정에서 발견하는 기쁨과 성장이다. 완벽하지 않아도 좋다. 때로는 서툴고, 때로는 부족할지라도, 진정한 성장은 완벽함이 아니다. 불완전함을 받아들이고, 그 속에서 내 가치를 발견하는 과정이라고 믿는다.

∞ 다른 사람 글을 베끼는 게 편해

동아리에 가서 다른 사람 글만 읽고 오는 건 시간이 아까웠다. 어떻게든 내 글을 제출하려고 노력했다. 그러니 글을 얼른 써서 내야지 하며, 날 다그쳐 압박하고 괴롭혔다.

초고를 쓸 때는 소재에 대한 떠오르는 장면을 먼저 썼다. 그런 다음, 관련 이야기를 덧붙였다. 그런데 '노을'에 관한 장면은 떠오르는 게 없었다.
매일 아침 9시, 습관 코칭 연구소 채팅방에 짧은 글이 올라온다. SF소설 쓰기 강의를 듣고 난 후 초대받아 들어간 곳이었다.
부쩍 쌀쌀해진 어느 날, 《어린 왕자》 중 '노을' 이야기에 관해 쓴 글이 올라왔다. 베끼고 싶은 욕망이 차올랐다. 악마가 속삭였다.
'다른 사람 글을 베끼는 게 편해.'
글을 일부 베껴서 제출했다. 마치 내 글인 듯.
집에 와서 글을 삭제했다. 앞으로 계속 베끼는 습

관이 들면 어쩌지라는 두려움이 들었다. 다른 사람 글이 내 생각에 도움이 되지만, 베끼는 건 내가 원하는 글쓰기가 아니었다.

어설프고 서툰 글이더라도 내 글을 쓸걸 그랬다.

∞ 진정성 있는 글쓰기

초등 3학년 막내딸은 학교 수업을 마치면 내게 바로 전화를 건다. 으레 하는 전화지만 휴대전화 화면에 뜬 아이 이름을 보면 항상 반갑다. 그런데 오늘은 목소리가 처져 있다. 친한 친구가 공주병 걸려 예쁜 척한다고 했단다. 얼마나 속상한지 울먹였다.

모처럼 화려한 치마를 입고 갔더니 한마디 들었나 보다. 딸을 위로해 주었다. 그리고 다음엔 '네가 그렇게 말하면 내 기분이 안 좋아.'라고 친구에게 표현하라고 했다. 딸은 대답이 없었다.
맛있는 간식 사 놓았으니, 집에 얼른 오라는 말에 는 금방 '네'라고 대답하면서…. 마음을 이야기하라는 말엔 쉽게 대답하지 못하는 게 안타까웠다.
딸에게 부정적인 감정은 제대로 표현해야 한다고 했다. 연습도 몇 번 시켰다. 그런데 막상 하려니 쉽지 않나 보다. 하긴 나도 어렵다.

내가 제일 불편하고 피하고 싶은 사람은 자기는 뒤끝이 없는 성격이라며, 솔직함으로 포장해서 하고 싶은 말 다 하는 사람이다. 난 예민해 곱씹어 생각하는 뒤끝 많은 사람이다. 자려고 누우면 수많은 목소리가 귓가에 울려 쉽게 잠이 오지 않은 날이 많았다. 5년째 불면증과 우울증약을 먹고 기절하듯 잠든다.

난 남에게 잘 보이고 인정받고 싶어서 눈치를 보며 살았다. 내 마음의 목소리는 듣지 않은 체. 사라지지 않았던 불편한 감정들은 먼지처럼 쌓이고 쌓여 커다란 덩어리가 되어 마음을 짓눌렀다. 먼지를 털어내기 위해 상담 치료받으며 조금씩 나아졌다.

마음이 편안해지고 있을 무렵, 한 사람을 만났다. 그녀는 막내딸 친구 엄마로 나보다 12살이나 어렸다. 그녀는 예의 바르고 센스도 있었다. 서로 같은 학원에 다니는 애들을 데리러 가면서 만났다. 커피 한 잔 마시자고 시작한 만남은 거의 매일 이어졌다.

친해지면서 사적인 얘기도 많이 했다. 그런데 어느 날부턴가 대화 내용이 그녀의 힘든 육아, 그녀의 주변 사람 뒷담화, 그녀의 남편과 시댁 불평불만이었다. 한 시간 내내 자신 얘기만 했다. 내겐 관심이 없었다. 내 생각은 묻지도 않았다. 난 그녀의 감정 쓰레기통이었다.
어쩌다 내 얘기를 하려고 하면, 다른 화제로 돌리고 눈을 피해 딴짓했다. 내가 왜 그녀를 만나야 하는지 의문이 들었다.

점점 그녀와의 만남을 회피했다. 전화도 일부러 받지 않고 카톡 답장도 오랜 시간이 지나서 답했다. 약속도 여러 핑계 대고 미뤘다. 그 정도 하면 점점 멀어질 줄 알았다.
그런데 그녀는 오히려 아침마다 연락해 오늘은 뭐

할 거냐고 따지듯이 내 일상을 물었다. 도저히 안 되겠다 싶었다.

"네게 내 사생활을 보고하는 기분이 들어 불쾌해. 그리고 지금은 네가 너무 불편해. 각자 시간을 가지자."
얼굴이 화끈거리고 가슴은 두근거렸다. 목소리는 한없이 떨렸다.
그녀는 자기가 잘못했다며 자신을 고친다고까지 했다. 사실, 그녀는 내게 잘못한 것이 없다. 그녀와 난 그냥 서로 다를 뿐이다.

그 일 이후 혼자서 도서관에서 책을 읽는 게 일상이 되었다. 책을 친한 친구 삼았다. 책 속 여러 사람과 내 생각을 나눴다. 그러다 운명처럼 도서관 글쓰기 수업을 신청했다. 그렇게 글을 쓰면서 또 다른 내 목소리를 찾았다. 글 속에 내 생각을 마음껏 말할 수 있었다.

오랜만에 쓴 글을 발표하는 날, 최대한 마음을 가라앉히고 편안히 읽으려고 노력했다. 하지만 자퇴하고 힘든 날을 보내는 첫째 이야기를 쓴 글이라 감정이 복받쳤다. 울면서 읽었다.

수업을 듣던 여러 사람이 함께 눈물 흘려주며 응원해 주었다. 창피했지만 마음이 담담해지는 걸 느꼈다.

다음 해도 글쓰기 강의를 더 찾아 들었다. 그리고 수필동아리에도 들어갔다. 글쓰기는 배울수록 어렵고 힘들고 지쳤다. 하지만, 버티며 할 수밖에 없다. 진정한 글쓰기로 또 다른 내 목소리를 더 잘 들려주기 위해서.

마침내 쓴 글

마침내 쓴 글

작년 9월 초, 그동안 쓴 글을 몇 편 골라 수필동아리 이름으로 책을 출간했다. 회원끼리 돈만 나누어 내면 책은 쉽게 낼 수 있었다. 하지만, 난 자비로 책을 낼 생각이 없었다. 물론 강제는 아니었다. 하지만 모두가 동의하는 분위기 속에서 혼자 반대할 용기가 없었다.

그 일로 수필 동아리에 대한 마음이 멀어졌다. 그리고 점점 다른 사람이 제시한 소재 말고, 내가 생각하는 다양한 이야기를 쓰고 싶었다.

'강사님, 올해는 좀 더 자유롭게 여러 방법으로 글쓰기를 해보려고 합니다. 지난해 강사님과 함께한 글쓰기는 저에게 많은 도움이 되었습니다. 감사합니다. 다음 기회에 다시 만날 수 있으면 좋겠습니다.'

근 1년 동안 했던 수필동아리를 그만두었다.

수필동아리 활동은 내 삶에서 중요한 전환점이었다. 확실히 글쓰기 실력을 키워주었다. 덕분에 화성시립 도서관 독서감상문 대회에서 상을 받았다. 작년 12월 5일, 시상식에서 느낀 벅참은 날 다시 글쓰기로 이끌었다.

1년 동안 주저앉아 멈추고 싶은 글쓰기에 대한 마음을 잘 다스리며 마침내 쓴 글을 다시 꺼냈다.

∞ 나는 씨앗이다

막내딸과 남편은 매년 4월쯤 아파트 공동현관 옆 화단에 꽃씨를 심는다. 그러면 아이는 오며 가며 자신이 심은 씨가 새싹이 나고 가지각색으로 꽃이 피는 모습을 수시로 관찰한다.

둘은 올해 무슨 씨앗을 심었을까. 올 늦여름에도 여러 가지 색 봉숭아 꽃잎을 따 아이와 함께 손톱에 물들일 수 있을까.

땅에 씨앗을 심는 일은 시작이다. 아무 일도 시작하지 않으면서 변화를 원하는 사람은 어리석은 사람이다.

나는 시작이라는 씨앗을 여기저기 뿌렸다. 싹이 언제 날지. 어떤 모양 잎이 자랄지. 어떤 색깔 꽃이 필지. 잘 성장할 수 있을지. 알 수 없다. 그래서 설렌다.

최근 도서관에서 동화책 읽어주는 봉사활동을 시

작했다. 아이에게 동화책 읽어주며 행복했던 기분을 더 느끼고 싶어서 신청했다. 벌써 책 선정부터 마음이 무겁다. 하지만 1년 동안 어떤 꽃을 피울지 기대된다.

4년 정도 듣고 있는 영어 회화는 아직 땅을 뚫고 싹이 올라오지도 못했다. 하지만, 영어를 못해서 창피하다는 마음은 사라졌으니, 언제가 조금씩 싹이 올라오겠지 싶다. 내 입이 꽃봉오리 터지듯 자유롭게 영어로 말하며 해외여행을 마음껏 할 수 있는 날을 상상해 본다.

또 빠질 수 없는 씨앗은 춤이다. 벨리 댄스를 10년간 했는데 코로나 이후 주민자치센터에서 사라져 시들어 버렸다. 대신 최근 줌바 댄스를 배워 신나는 음악에 몸을 움직인다. 끝나고 나면 온몸이 땀에 흠뻑 젖는다. 얼마 전, 기배동 벚꽃축제 무대에서 줌바 공연을 했다. 아직도 두근거림이 생생하다.

사실, 제일 공들인 씨앗은 글쓰기이다. 책 출판을 계획해 동호회를 만들고, 글쓰기 수업도 듣고, 수필동아리도 가입했지만, 글쓰기는 늘 어렵다. 내가 영양분 많은 땅이 되어야 하는데…. 쉬지 않고 보살펴야 할 가장 까다롭고 어려운 씨앗이다. 하지만 어떤 씨앗보다 잘 성장해 커다란 나무로 자랐으면 한다.

써놓고 보니 여기저기 씨앗을 뿌렸다. 그런데 나는 안다. 시작하면 꾸준히 해 나가는 나를. 언젠가는 꽃피고 열매 맺을 날이 오리라는 걸 믿는다.

∞ 쾅! 쾅! 쾅!

"엄마, 나 거짓말했어."
딸아이가 속삭이듯 말했다. 잠자리에 들기 전 이
런저런 얘기를 나누다가 아이 입에서 불쑥 튀어나
온 말이었다. 태연한 척 이야기를 들었다.

"3교시 국어 시간에 일기 쓰기에 대해 배웠거든.
선생님이 '집에서 매일 일기 쓰는 사람?'하고 물
으셨어. 내가 번쩍 손을 들었지. 선생님이 대단하
다고 칭찬하며 손뼉까지 쳐 주셨어."
아이는 가끔 일기를 쓰고 잘 때도 있었다. 선생님
께 칭찬을 듣고 싶어 그랬다고 했다. 밤이 되니
딸은 죄책감이 밀려왔나 보다.

다 듣고 난 후, 아이가 귀여워 새어 나오는 웃음
을 참았다. 그러곤 짐짓 진지하게 말했다.
"거짓말은 나쁜 거야. 앞으로 거짓말하지 않도록
노력해. 하지만, 이제부터 그 거짓말을 진실로 만

들면 돼. 오늘부터 매일 한 줄이라도 일기장에 쓰면 앞으론 진실이 되잖아."

아이는 얼굴빛이 환해지면서 침대에서 벌떡 일어났다. 곧장 책상에 앉아 일기장을 펼쳐 놓고 뭔가를 썼다. 쓴 일기장을 들고 와 내게 보여줬다.

'오늘 거짓말을 해서 힘들었지만, 앞으로 약속을 지키는 사람이 될 것이다.'라고 써 놓았다.

"멋지다. 우리 딸!"

딸아이를 꼭 안아주었다.

아이 마음이 충분히 이해된다. 칭찬을 받고 싶어 하는 마음은 당연하다.

문득, 나 역시 초등학교 시절 선생님께 칭찬받고 싶어 거짓말했던 일이 떠올랐다.

초등학교 3학년 때였다. 우리 담임은 매일 일기 쓰기를 중요하게 생각하는 사람이었다. 일기를 잘 쓴 사람은 '참 잘했어요.' 도장을 세 번이나 찍어주었다. 내 일기장엔 항상 칭찬 도장이 세 번 찍혀 있었다. 그리고 선생님은 도장 아래 빨간색 볼

펜으로 생생한 후기를 써 주었다.

가끔은 선생님이 본보기로 내 일기를 직접 읽어주기도 했다. 일기는 이렇게 쓰는 거라면서. 나는 일기장을 내고 다시 받아 올 때면 '선생님이 오늘은 어떤 내용을 써주셨을까?' 하며 기대했다.

그러던 어느 날이었다. 그날은 일기에 쓸 기억에 남는 일이 전혀 없었다.

'뭘 쓸까?'

칭찬받을 만큼 잘 쓰고 싶은 마음에 무척 고민했다. 문득 책장 속 그동안 모아놓았던 일기장들이 보였다.

2학년 때 쓴 일기를 다시 읽어 보고, 예전 추억을 가족들과 함께 떠올리며 흐뭇했다는 내용으로 지어서 썼다.

다음날, 선생님 책상에 올려놓은 일기장을 집에 가야 할 때쯤 받았다. 유독 심장이 쿵쾅거렸다. 크게 숨을 내뱉고 일기장을 펼쳤다.

칭찬 도장 하나!

그 아래 뾰족한 글씨체가 노려보듯,

'일기를 거짓말로 쓰면 안 된다.'라고 쓰여있었다. 어쩐지 선생님이 일기장을 나눠 주실 때 날 보는 눈빛이 다정하지 않더라니. 혹시라도 선생님과 눈이 마주칠까 두려웠다. 선생님 쪽으로 고개를 돌릴 수 없었다. 도둑이 도망치듯이 교실을 빠져나왔다.

어릴 땐 항상 칭찬에 목이 말랐다. 다른 사람에게 좋은 말만 듣고, 뭐든 잘한다고 인정받고 싶었다. 칭찬에 대한 갈망은 삶을 더 노력하고 열심히 살 수 있게 했다. 하지만, 타인이 조금이라도 핀잔을 주거나 타박하면 속상해 잠을 이루지 못했다. 스스로 자책하고 실망하면서. 그때 남들의 평가에 가치를 둔 난 행복하지 않았다.

마흔이 훌쩍 넘은 나이에 무엇보다 중요한 것은 '자신'이라는 걸 알았다. 내 모습 그대로를 인정하고, 내게 집중하며 사는 삶이 가장 큰 행복이다.
이젠 마음속 칭찬 도장을 새겨 놓고, 수시로 내가
내게 찍어준다. 세 번이든. 백 번이든. 내가 원하
는 만큼. 쾅! 쾅! 쾅!

∞ 착한 세차장

"삶의 감사함을 아는 가정에 선물 같은 행운이 전달되면 좋겠습니다."

황금손 주인공이 버튼을 꾹 눌렀다. 로또 추첨이 시작됐다. 남편과 딸이 눈을 크게 뜨고 텔레비전에 온 기운을 집중했다. 하지만, 번호가 하나씩 불릴수록 한숨 소리도 커졌다. 난 속으로 '그럼, 그렇지.' 했다.

이런 내가 로또를 딱 한 번 산적이 있었다.

가을바람이 상쾌했던 날이었다. 아이들은 기분 좋게 등교했다. 나 역시 집안일을 개운하게 끝냈다. 필라테스를 가려고 차를 탔다. 울긋불긋 고운 색깔로 물든 나무가 아름다웠다. 신선한 가을 공기를 마시기 위해 창문을 활짝 열었다.

잠시 후, 가을 불청객 은행 냄새가 났다. 급히 창문을 올렸다. 그런데도 이상하게 냄새는 사라지지 않았다.

주차하고 차에 내려서야 냄새 원인을 알았다. 은행이 아닌 내 신발 밑창에서 나는 냄새였다. 물컹한 개똥을 밟았다. 그 덕에 운전석 바닥 매트가 온통 노랬다. 아찔했다. 구역질이 났다.

운동을 하는 내내 몸에서 똥 냄새가 나는 기분이었다. 머릿속은 온통 어떻게 해야 할지를 궁리하느라 동작을 제대로 하지 못했다. 운동을 마치고 서둘러 집으로 가려 했다.
허둥대는 내 모습을 본 지인이 이유를 물었다. 그녀는 손 세차를 맡기라며 자신이 아는 곳으로 안내해 줬다.

세차장에 가서 특히 냄새를 잘 제거해 달라고 했다. 인상 좋은 아저씨가 근처 스팀세차장으로 가라고 했다. 그곳에선 냄새를 더 잘 없앨 수 있다며. 상냥히 다른 곳을 권했다. 급한 맘에 그냥 여기서 해달라고 간곡히 부탁했다. 똥 묻은 걸 받아주는 것만도 고마웠다.

"얼마에요?"

"4만 원이요."

돈은 차를 찾을 때 달라고 했다. 고개 숙여 여러 번 고맙다고 했다.

오후에 차를 찾으러 갔다. 세차장에는 아까와는 다른 사람이 있었다. 전 사람보다 좀 더 나이 들어 보였다. 동그란 얼굴과 눈이 순해 보였다.

현금 4만 원 줬다. 그런데, 3만 5천이라며 5천 원을 돌려주려고 했다. 참나, 돈 더 달라며 속이는 장사꾼은 봤어도 덜 받는 사람은 처음이었다.

"어쩔 줄 몰라는데 맡아줘서 너무 감사했어요. 그냥 받아 주세요"

한참 뜸을 들인 후에야 아저씨는 쑥스러워하며 돈을 받았다.

차는 비싼 샤워를 해서 윤이 나고 빛났다. 차 문을 여니 안은 향긋한 냄새로 가득했다. 난 뒤 돌아 다시 한번 큰소리로 감사하다며 인사했다. 그

때 세차장 간판이 보였다.

'어쩜, 이름도 '착한 세차장'이네.'

세차장 직원들과 딱 어울렸다.

그날 혼자서 그걸 처리했으면 어땠을까. 상상조차 하기 싫었다. 하지만 내 주변에 행운 같은 여러 사람 덕분에 평화로운 일상으로 기억됐다.

며칠 뒤, 큰언니가 웃으며 똥 밟은 건 어쩌면 행운이라고 로또를 사보라고 했다. 속는 셈 치고 한 장 사봤다. 딱 한 숫자만 맞았다.

이미 행운은 '착한 세차장'에서 써버렸다.

∞ 비밀번호 설정하기

늦은 밤, 현관문 비밀번호를 누르는 소리가 들렸다. 여러 번 잘못 눌러 요란한 경고음이 울렸다.

살금살금 현관문으로 다가가 작은 구멍에 오른쪽 눈을 댔다. 아무도 없었다.

술에 취한 사람이 집을 잘못 찾았던 걸까. 순간 낯선 사람으로부터 지켜준 현관문이 든든했다. 지인이 현관문 비밀번호를 열두 자리로 설정했다는 말이 떠올랐다. 나도 이참에 여러 자리로 바꾸고 싶었다.

우리 집 비밀번호를 알고 있는 사람은 세상에 오직 다섯 명. 아이가 숫자를 알 때쯤 비밀번호를 가르쳐 줬다. 어느 때보다 엄숙한 표정으로 진지하게. 비밀번호는 절대 남에게 가르쳐 주면 안 된다고 했다. 잠들기 전, 동화 〈일곱 마리 아기 양과 늑대〉를 자주 읽어주면서. 엄마가 없을 때는 그 누구에게도 결코 문을 열어 주지 않겠다는 다짐도 여러 번 받았다. 철저히 아이에게 현관문 비밀번호에 대해 주의를 줬다.

그런데 정작 중요한 마음의 문은 어떻게 단속하는지 알려주지 않았다. 최근 큰아들이 마음의 문을 활짝 열어 놓는 바람에 일이 생겼다.

그날따라 큰아들은 유독 식사를 잘 하지 않았다. 평소보다 우울해 보였다. 이유를 물으니 뜸 들이며 털어놓았다.

"엄마도 알다시피 친한 애들이 전부 대학 갔잖아. 나만 집에 있으니 놀 친구가 없어서 심심했어. 그래서 어젯밤에 공개 채팅방에서 대화 상대를 찾아봤지. 그러다가 채팅한 여자애한테 돈을 빌려줬어."

"얼마나?"

"70만 원. 카톡 내용 읽어봐."

얼굴도 전화번호도 모르는 처음 만난 사람을 뭘 믿고. 절대 화내지 말라고 부탁한 후, 꺼낸 얘기라 화도 내지 못했다.

처음에는 서로 호감 가는 말을 주고받았다. 좀 지나 주말에 만나기로 약속 잡는 듯했다. 몇 분 후, 여자가 휴대전화 요금이 미납되어서 주말에 연락이 안 될 수 있다고 했다. 해결하기 위해 돈을 요구했다.

아들은 갚는다는 말만 믿고 쉽게 40만 원을 보냈다. 힘들어하는 여자도 돕고, 연락이 돼야 주말에 만날 수 있을 것 같아서 줬다고 했다.

다음엔 소액 결제 요금 30만 원이 밀려 휴대전화가 끊어진다고 했다. 아들은 급히 동생에게 빌려 30만 원을 더 줬다. 그 후로도 또 다른 이유로 상대는 돈을 더 달라고 했다. 다행히 아들은 더 이상 돈이 없어서 주지 못했다.

'더 못 빌려줘서 미안해.' 아들이 채팅방에 남긴 마지막 말이었다. 그 뒤로 그 사람은 당연히 연락되지 않았다.

정말로 어이가 없었다. 그 사람은 아들의 순수한 마음을 악용했다.

"이 사람은 널 속인 거야. 호매실에 사는 것, 너랑 동갑 20살 여자라는 것, 보육원에 살았다는 것까지. 다 거짓말이야. 돈은 절대로 갚지 않을 꺼야."

목소리 톤이 점점 올라갔다. 아들은 눈물을 흘렸다. 자신이 바보 같고 멍청했다며 자책했다.

나도 안타까웠다. 아들은 아무 잘못이 없는데. 우울증으로 최근 몇 달간 입원 치료하고 퇴원한 지 얼마 안 된 아이라 더욱 가슴이 아팠다.

다음 날, 아들에게 이번 일을 경험 삼아 타인과의 관계에서 자신이 소중하게 생각하는 가치가 무엇인지 알았으면 한다.

언젠가 아들도 마음의 비밀번호를 찾아 설정하길. 어른이 된다는 것은 타인에게서 내 마음의 문을 지키는 비밀번호를 찾아가는 과정이므로.

예전에 난 마음의 문조차 없었다. 누구나 쉽게 들어올 수 있었다. 마흔을 훌쩍 넘겨서야 자신을 제

법 알았다. 마음의 문 비밀번호를 알차게 설정해 놓고 곧잘 관리한다. 그래서인지 절대 혼란했던 젊은 시절로 다시 돌아가고 싶지 않다. 지금 이 나이가 너무 편안하고 좋다.

아들과 처음으로 법률사무소에 갔다. 그곳에서 그 일은 사기 기만죄로 고소할 수 있다는 말을 들었다. 곧장 경찰서에 가서 진술서를 제출하고 왔다. 경찰서 문을 열고 나오면서 아들 손을 꽉 잡아주었다.

∞ 시간 내 줘서 고마워

나는 딱히 친구가 없다. '친구'라는 단어를 국어사전에 검색하니 '가깝게 오래 사귄 사람'이라고 했다. 사전대로라면 친구라고 내세울 사람은 가족 외에는 없다. 내가 남보다 친구에 대한 기준이 한없이 높기 때문일 수도 있다.

난 친구를 사귈 때. 무척이나 애썼다. 상대에게 모든 걸 맞춰주면서. 불편한 감정은 눌러가면서. 얼추 1년 정도가 되면, 친구는 내 행동에 익숙해져 날 위한 배려가 사라진 상태가 되었다. 서운했다.
서운함을 구구절절 표현하는 건 구차해 보였다. 하지만 가만히 있자니 더욱 괴로웠다. 서운함은 점점 차고 넘쳐 관계에 금을 냈다.

최근 최은영의 단편소설 〈일 년〉을 읽었다. 주인공이 인턴사원과 함께 지낸 일 년 동안 서서히 생긴 서운함을 써 놓은 글이 있었다.

'대수롭지 않게 말하고 웃으며 사무실을 나왔지만, 쓸쓸한 마음을 숨길 수가 없었다. 그녀는 다희에게 서운함을 느끼지 않기 위해 노력했다. 서운하다는 감정에는 폭력적인 데가 있었으니까. 넌 내 뜻대로 반응해야 해, 라는 마음. 서운함은 원망보다는 옅고 미움보다는 직접적이지 않지만, 그런 감정들과 아주 가까이 붙어 있었다.' (115쪽)

원망과 미움에 가까운 서운함.
나 역시 친구에게 서운함을 느끼지 않으려고 노력했다. 하지만 내 마음 그릇이 종지만큼이었다.

생각해 보면, 난 뭐든 다 해주는 착한 사람. 친구는 받기만 하는 나쁜 사람이라고 단정 지었다. 친구가 부탁하지도 않았는데, 내가 먼저 해결해 준다고 나설 때도 있었다.
〈슬기로운 의사 생활〉, 〈응답하라, 1988〉 속 친구 관계는 한없이 부러웠다. 그들은 서로 가족보다 더 진심으로 아끼고 사랑했다.

그러나 언제까지 마냥 부러워만 할 수 없다.

'좋은 사람, 착한 사람으로 인정받고 싶어 하는 욕심부터 내려놓자. 친구에게 불편하고 서운한 마음이 들면 의사 표현을 해보자. 날 소중하게 생각하자'

아니다. 서운해하며 원망하고 미워만 했던 친구에게 그때 내게 시간을 내줘서 고맙다고 전하고 싶다. 비록 지금은 내 삶에서 비껴있지만.

그 친구와 함께 한 시간 속에서 서로 진심을 나누고 위로해 주며 행복했었다. 서운함에 가려 친구에 대한 추억도 다 지운 채 살았다.

∽ 11월의 약속

작년 11월 초, 아버지가 뇌졸중으로 쓰러졌다. 그해 다가오는 아버지 생신날, 친정 가족이 모두 함께 떠나는 제주도 여행을 계획했었는데…. 모았던 돈은 부담스러운 병원비를 해결했다.
쓰러진 몇 달 뒤 아버지는 호전되어 퇴원할 수 있었다. 하지만 대소변 가리기가 어려웠다. 어머니가 직접 돌봐야만 했다.

그 후 매년 봄과 여름 떠났던 여행, 시끌벅적했던 명절, 대가족의 모임은 할 수 없었다. 어머니가 아버지 보살피는 것만으로도 힘들다고 하니 모일 수가 없었다. 모이면 즐겁고 흥겨웠다. 각종 게임도 하며 웃음이 끊이지 않았던 많은 날이 그립다.

특히, 아버지 칠순, 어머니 회갑 잔치가 동시에 있었던 2019년 가을, 큰언니 집들이 겸 모였던 날은 잊을 수 없다.

친정 식구가 27명이니 뷔페 방을 따로 빌릴 수 있었다. 그곳에서 첫째부터 여섯째까지 부모님을 위한 재롱잔치를 했다. 어머니가 일등상금을 준다고 해서 저마다 열심히 준비했다.

그날 우리 가족은 두 아이가 대표로 하모니카 연주를 했다. '부모님, 사랑해요!'라고 새긴 티셔츠를 입고, 어머니가 좋아하는 트로트를 부른 둘째네. 제부가 기타 연주까지 하며 노래를 부른 다섯째네. 춤까지 춘 여섯째네. 1등은 다섯째였다. 센스있는 어머니는 상금은 골고루 준비해 기분 좋게 나눠주었다.

마지막으로 한 명씩 부모님께 드리는 편지를 읽었다. 방안은 금세 눈물바다가 되었다. 나도 눈물 때문에 편지를 읽을 수가 없었다. 남편이 대신 읽어주었다.

　몇 번이나 모이고 싶어서 딸들이 음식은 다
　알아서 하겠다고 해도 소용없었다. 어머니는
'사위들 오는데 어떻게 그러냐?'라며 자신 마음

편하게 오지 말아 달라고 부탁했다. 효도라고
생각하고 보고 싶은 마음을 꾹꾹 눌렀다. 가끔은
어머니가 너무 단호히 오지 말라고 해 '내가 보고
싶지도 않은가?' 하는 철없는 마음도 들었다.

왜 어머니는 아버지가 '밉다, 밉다.', 하면서도 요
양원에 보내지 않을까. 요즘은 요양원에 보내는
게 흠도 아닌데.
어머니가 힘들다고 할 때마다 난 어머니 몸 편히
요양원에 보내는 게 어떠냐고 말할 뿐이었다.
하지만 어머니는 아버지가 애처롭고 안쓰러워 그
럴 수 없다고 했다. 아버지의 마지막을 낯선 곳에
서 둘 수 없다고. 두 분 다 고아처럼 자랐다. 두
분은 서로에게 유일한 부모이자 형제이자 애틋한
가족이었다.

아버지는 태어나자마자 자신의 어머께 버림받았
다. 친척 집을 전전하며 자란 아버지는 끼니를 거
르는 일이 잦았다. 초등학교도 제대로 다니지도

못했다. 어릴 때부터 고된 농사일을 해야만 했다. 그래서일까. 아버지는 늘 가족이 다 함께 모여 밥 먹는 걸 가장 중요하게 생각하고 좋아했다.

그런 아버지 마음을 헤어린 어머니는 얼마 남지 않을 아빠의 생일상만은 손수 차리겠다고 했다. 그날만은 친정집에 오는 걸 허락한다. 1년 만에 부모님을 볼 수 있는 11월 약속의 날이 다가오고 있다.

어서 와! 수필동아리는 처음이지?

발　　행 | 2025년 03월 05일
저　　자 | 박근애
펴낸이 | 임리나
펴낸곳 | 북도슨트 cafe.naver.com/writeandpublush
출판사등록 | 2025. 01.16.(제2025-0000007호)
주　소 | 경기도 수원시 영통구 청명로 132. 334-1505
이메일 | fionairuda@naver.com
ISBN | 979-11-94661-03-0